Título original: STOP PICKING ON ME
© Texto: Pat Thomas, 2000
© Ilustraciones: Lesley Harker, 2000
Publicado originalmente por Hodder and Stoughton Limited,
un sello de Hodder Headline Group, Gran Bretaña.

© EDITORIAL JUVENTUD, S. A., 2008
Provença, 101 - 08029 Barcelona
info@editorialjuventud.es
www.editorialjuventud.es

Traducción: Maria Lucchetti Bochaca
Primera edición, 2008
Depósito legal: B. 13.710-2008
ISBN 978-84-261-3645-9
Núm. de edición de E. J.: 11.086
Printed in Spain
S. A. de Litografia, c/ Ramón Casas, 2 (Badalona)

No te metas conmigo

HABLEMOS DEL ACOSO ESCOLAR

PAT THOMAS
con ilustraciones de LESLEY HARKER

editorial juventud
Barcelona

Algunos de estos niños son acosadores.
¿Sabrías decir cuáles?

Los acosadores parecen iguales que los demás,
pero no se comportan como los demás.

A los acosadores les gusta hacer daño a los demás
y hacerles hacer lo que ellos digan.

Y el único modo que conocen
de conseguir lo que quieren es siendo crueles.

Los acosadores no siempre te hacen daño físico,
también hieren tus sentimientos. Pueden hacerte sentir
que si se meten contigo es por tu culpa, aunque no sea verdad.

¿Y tú?

¿Conoces algún acosador?
¿Qué tipo de cosas hacen?

9

Cualquiera puede ser
acosador. Lo pueden ser
los niños o las niñas,
solos o en grupo.

Lo puede ser un adulto. Un acosador
puede meterse contigo… o dejarte
de lado en los juegos y los grupos.

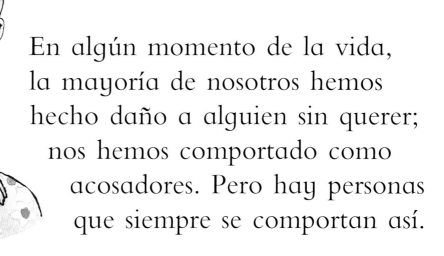

En algún momento de la vida, la mayoría de nosotros hemos hecho daño a alguien sin querer; nos hemos comportado como acosadores. Pero hay personas que siempre se comportan así.

Los acosadores nunca tienen una buena razón
para hacer daño a los demás. A menudo se meten con
cualquiera que sientan que es distinto a ellos.

Algunos acosadores se meten
con personas que son más altas o más bajas,
o que tienen un color de piel distinto. Algunos acosadores
pueden incluso meterse contigo por tu forma de vestir.

Muchas veces, las personas
que se meten con otras lo hacen
porque antes se lo han hecho a ellos.

Quizá sus propios padres u otros adultos han sido crueles
con ellos alguna vez. Es muy triste, pero no es motivo
para que ellos lo hagan a los demás.

Los acosadores no se gustan demasiado
a sí mismos. Y por esta razón
les resulta difícil apreciar
a los demás y tratarlos bien.

Sólo se sienten bien molestando
a los demás. Les hace sentir
más fuertes y poderosos.

Todos necesitamos sentirnos queridos. Por esto duele tanto que te traten mal. Cuando alguien se mete contigo, te puedes sentir asustado o enfadado, desdichado o herido.

Puede costarte dormir, y cuando duermes puedes tener pesadillas. Puedes perder el apetito y la alegría de ir al colegio.

¿Y tú?

Cada uno reacciona de un modo distinto ante el acoso. ¿Te ha sucedido alguna vez? ¿Cómo te has sentido?

No mereces que te traten mal.
Nadie lo merece.

Es muy difícil aprender
a no dejar que se metan
contigo sin hacerlo tú también.
Si pagas con la misma moneda o te muestras
cruel, normalmente sólo consigues empeorar la situación.

¿Y tú?

¿Qué haces cuando alguien te acosa?
¿Se te ocurren otras formas
de afrontarlo?

21

Una buena manera de terminar
con el acoso es contárselo
a alguien. Puede ser tu padre
o tu madre, algún
maestro o cualquier
adulto en quien
confíes.

Quizás no te apetezca
hablar de ello
con nadie,
pero deberías
hacerlo.

Todos los acosadores confían en que sus víctimas
no hablarán de ello. Si te lo guardas, el acosador pensará
que puede seguir haciéndote daño sin ninguna consecuencia.

Otra manera de acabar con el acoso es dejar
que te ayuden quienes te quieren. El amor
de los demás puede ayudarte a sentirte
bien y a saber que no tienes
la culpa de lo que
te sucede.

Los acosadores sólo se meten con las
personas que saben que son vulnerables.
Sentirte bien contigo mismo y quererte
es seguramente la mejor manera
de detenerlos.

Además, cuando te sientes bien contigo mismo, no necesitas meterte con nadie para conseguir lo que quieres.

Es importante recordarlo, porque cuantos
menos acosadores haya en el mundo,
mejor viviremos todos en él.

GUÍA PARA UTILIZAR ESTE LIBRO

Un niño víctima de acoso desarrollará sentimientos muy fuertes. No dejéis que os asusten u os superen. Un niño acosado necesita por encima de todo un amor incondicional. Si intentáis «quitarle importancia» para que se sienta menos infeliz, menos enfadado o menos asustado, no estaréis aceptando sus sentimientos. Le haréis sentir más seguro si le permitís expresar lo que siente.

El hecho de que vuestro hijo o hija sea víctima de acoso puede llevaros a recordar momentos en los que vosotros también lo fuisteis. Si vuestro hijo es víctima, también lo sois vosotros, y esto asusta mucho a la mayoría de adultos. Cuidad de no mezclar vuestros propios sentimientos no resueltos. No hagáis que el niño reaccione como vosotros desearíais haber reaccionado o que diga lo que vosotros desearíais haber dicho.

Los niños aprenden en casa cómo deben comportarse. Si vuestro hijo está implicado en acosos a otros, debéis revisar objetivamente el modo en que le tratáis en casa y el modo en que los distintos miembros de la familia interactúan.

En clase también puede trabajarse a partir de debates sobre el acoso. Una buena manera de hacerlo es a través de los juegos de rol. A través de breves improvisaciones, todos los niños deberían poder interpretar los dos papeles, el del acosador y el del acosado, delante de todo el grupo. Y entonces se puede hablar sobre cómo nos sentimos cuando nos acosan, cuál es la mejor manera de hacerle frente y sobre qué debemos hacer si somos víctimas de acoso.

Las escuelas juegan un papel muy importante en la lucha contra el acoso. Las escuelas que tienen tolerancia cero con el acoso, suelen tener los índices más bajos de conductas de este tipo entre los alumnos. En todas las escuelas debería haber un «buzón del acoso» donde los niños pudieran denunciar anónimamente todos los casos.

RECURSOS

http://el-refugio.net
Página que aborda el bullying (violencia en las aulas). Contiene
artículos, trabajos, noticias, enlaces y un foro de participación.

http://www.acosoescolar.es
Web de información y ayuda contra el acoso escolar a través de la
cual un equipo de psicólogos y expertos en seguridad infantil
prestan ayuda a menores que sufren esta situación.

LECTURAS PARA NIÑOS

¿Y si me defiendo?
E. Zöller (Edebé)

La violencia y la No violencia
B. Labbé (SM)

LECTURAS PARA ADULTOS

Bullying. El acoso escolar.
El libro que todos los padres deben conocer
William Voors (Oniro)

Stop Bullying
Nora Rodríguez (RBA)
http://www.stopbullying.es/

Mobbing escolar.
Violencia y acoso psicológico contra los niños
Iñaki Piñuel y Araceli Oñate (Editorial CEAC)

La agresividad de nuestros hijos
H. Vassart (Espasa Calpe)